PAUL ROMANUK

LE HOCKEY
SES SUPERVEDETTES
2017-2018

Avec 17 mini-affiches des vedettes
et ton dossier personnel de la saison

Texte français : Gilles Terroux

Éditions
SCHOLASTIC

LES ÉQUIPES

ASSOCIATION DE L'OUEST – DIVISION PACIFIQUE

FLAMES DE CALGARY
Couleurs : rouge, or, noir et blanc
Aréna : Scotiabank Saddledome
Mascotte : Harvey
Coupe Stanley : 1

KINGS DE LOS ANGELES
Couleurs : blanc, noir et argent
Aréna : Staples Center
Mascotte : Bailey
Coupes Stanley : 2

CANUCKS DE VANCOUVER
Couleurs : bleu, argent, vert et blanc
Aréna : Rogers Arena
Mascotte : Fin

OILERS D'EDMONTON
Couleurs : blanc, bleu marine et orange
Aréna : Rogers Place
Mascotte : Hunter le lynx
Coupes Stanley : 5

COYOTES DE L'ARIZONA
Couleurs : rouge, noir, sable et blanc
Aréna : Gila River Arena
Mascotte : Howler

SHARKS DE SAN JOSE
Couleurs : bleu sarcelle, blanc, orange et noir
Aréna : SAP Center à San Jose
Mascotte : S.J. Sharkie

DUCKS D'ANAHEIM
Couleurs : noir, or, orange et blanc
Aréna : Honda Center
Mascotte : Wild Wing
Coupe Stanley : 1

GOLDEN KNIGHTS DE VEGAS
Couleurs : gris métallique, or, rouge et noir
Aréna : T-Mobile Arena

ASSOCIATION DE L'OUEST – DIVISION CENTRALE

BLACKHAWKS DE CHICAGO
Surnom : Hawks
Couleurs : rouge, noir et blanc
Aréna : United Center
Mascotte : Tommy Hawk
Coupes Stanley : 6

STARS DE DALLAS
Couleurs : vert, blanc, noir et argent
Aréna : American Airlines Center
Mascotte : Victor E. Green
Coupe Stanley : 1

WILD DU MINNESOTA
Couleurs : rouge, vert, or, blé et blanc
Aréna : Xcel Energy Center
Mascotte : Nordy

AVALANCHE DU COLORADO
Surnom : Avs
Couleurs : bourgogne, argent, noir, bleu et blanc
Aréna : Pepsi Center
Mascotte : Bernie
Coupes Stanley : 2

PREDATORS DE NASHVILLE
Surnom : Preds
Couleurs : bleu foncé, blanc et or
Aréna : Bridgestone Arena
Mascotte : Gnash

JETS DE WINNIPEG
Couleurs : bleu foncé, bleu, gris, argent, rouge et blanc
Aréna : Bell MTS Place
Mascotte : Mick E. Moose

BLUES DE ST. LOUIS
Couleurs : bleu, or, bleu foncé et blanc
Aréna : Scottrade Center
Mascotte : Louie

ASSOCIATION DE L'EST – DIVISION ATLANTIQUE

MAPLE LEAFS DE TORONTO
Surnom : Leafs
Couleurs : bleu et blanc
Aréna : Air Canada Centre
Mascotte : Carlton l'ours
Coupes Stanley : 11

. . . .

SABRES DE BUFFALO
Couleurs : bleu marine, or,
argent et blanc
Aréna : KeyBank Center
Mascotte : Sabretooth

. . . .

PANTHERS DE LA FLORIDE
Surnom : Cats
Couleurs : rouge, bleu marine, jaune, or et blanc
Aréna : BB&T Center
Mascotte : Stanley C. Panther et Viktor E. Ratt

SÉNATEURS D'OTTAWA
Surnom : Sens
Couleurs : noir, rouge,
or et blanc
Aréna : Centre Canadian Tire
Mascotte : Spartacat

. . . .

LIGHTNING DE TAMPA BAY
Surnom : Bolts
Couleurs : bleu, noir et blanc
Aréna : Amalie Arena
Mascotte : ThunderBug
Coupe Stanley : 1

CANADIENS DE MONTRÉAL
Surnom : Tricolore
Couleurs : bleu, blanc et rouge
Aréna : Centre Bell
Mascotte : Youppi
Coupes Stanley : 24

. . . .

RED WINGS DE DETROIT
Surnom : Wings
Couleurs : rouge et blanc
Aréna : Little Caesars Arena
Mascotte (officieuse) : Al la pieuvre
Coupes Stanley : 11

. . . .

BRUINS DE BOSTON
Surnom : Bs
Couleurs : or, noir et blanc
Aréna : TD Garden
Mascotte : Blades
Coupes Stanley : 6

ASSOCIATION DE L'EST – DIVISION MÉTROPOLITAINE

RANGERS DE NEW YORK
Surnom : Blueshirts
Couleurs : bleu, blanc et rouge
Aréna : Madison Square Garden
Coupes Stanley : 4

. . . .

BLUE JACKETS DE COLUMBUS
Surnom : Jackets
Couleurs : bleu, rouge, argent et blanc
Aréna : Nationwide Arena
Mascotte : Stinger

. . . .

CAPITALS DE WASHINGTON
Surnom : Caps
Couleurs : rouge, bleu marine et blanc
Aréna : Verizon Center
Mascotte : Slapshot

ISLANDERS DE NEW YORK
Surnom : Isles
Couleurs : orange, bleu et blanc
Aréna : Barclays Center
Mascotte : Sparky le dragon
Coupes Stanley : 4

. . . .

PENGUINS DE PITTSBURGH
Surnom : Pens
Couleurs : noir, or et blanc
Aréna : PPG Paints Arena
Mascotte : Iceburgh
Coupes Stanley : 5

FLYERS DE PHILADELPHIE
Couleurs : orange, blanc et noir
Aréna : Wells Fargo Center
Coupes Stanley : 2

. . . .

DEVILS DU NEW JERSEY
Couleurs : rouge, noir et blanc
Aréna : Prudential Center
Mascotte : N.J. Devil
Coupes Stanley : 3

. . . .

HURRICANES DE LA CAROLINE
Surnom : Canes
Couleurs : rouge, noir, gris et blanc
Aréna : PNC Arena
Mascotte : Stormy
Coupe Stanley : 1

TON ÉQUIPE PRÉFÉRÉE

Ton équipe préférée : _____

Association et division : _____

Joueurs de ton équipe préférée au début de la saison :

Numéro	Nom	Position
_____	_____	_____
_____	_____	_____
_____	_____	_____
_____	_____	_____
_____	_____	_____
_____	_____	_____
_____	_____	_____
_____	_____	_____
_____	_____	_____
_____	_____	_____
_____	_____	_____
_____	_____	_____
_____	_____	_____

Changements, échanges, nouveaux joueurs

_____ _____ _____
_____ _____ _____
_____ _____ _____
_____ _____ _____
_____ _____ _____
_____ _____ _____
_____ _____ _____

Classement final

Écris le nom de l'équipe qui, d'après toi, remportera le championnat dans chacune des quatre divisions.

ASSOCIATION DE L'OUEST

_____ **DIVISION PACIFIQUE**

_____ **DIVISION CENTRALE**

ASSOCIATION DE L'EST

DIVISION ATLANTIQUE _____

DIVISION MÉTROPOLITAINE _____

Les éliminatoires

Choisis les deux équipes qui s'affronteront lors de la finale de la Coupe Stanley, puis encercle le nom de celle qui, d'après toi, remportera la victoire.

Champions de l'Association de l'Est : _____

Champions de l'Association de l'Ouest : _____

TON ÉQUIPE PRÉFÉRÉE

Les progrès de ton équipe pendant la saison

Le classement des équipes est indiqué sur le site LNH.com et dans la section des sports du journal. Tu peux y apprendre quelle équipe est en première place, en deuxième place, et ainsi de suite, jusqu'à la dernière place.

Vérifie le classement le même jour de chaque mois et note les résultats de ton équipe. Tu seras alors en mesure de suivre ses progrès.

Voici les abréviations les plus couramment utilisées :

MJ : matchs joués
MG : matchs gagnés
MP : matchs perdus
DP : défaites en prolongation

PTS : points
A : aides
B : buts

	MJ	MG	MP	DP	PTS
1er NOVEMBRE					
1er DÉCEMBRE					
1er JANVIER					
1er FÉVRIER					
1er MARS					
1er AVRIL					
1er MAI					

Classement final

Inscris ici les résultats de ton équipe à la fin de la saison.

NOM DE TON ÉQUIPE	MJ	MG	MP	DP	PTS

La fiche de tes joueurs préférés

Tout en suivant les progrès de ton équipe préférée, tu peux aussi remplir une fiche sur tes joueurs favoris. Tu n'as qu'à indiquer, au début de chaque mois, le total des points qu'ils ont obtenus.

Joueur	1er nov.	1er déc.	1er janv.	1er févr.	1er mars	1er avril	1er mai

La fiche de ton gardien de but préféré

Tu peux noter ici la moyenne de ton gardien de but préféré. MBA est l'abréviation de « moyenne de buts accordés », ce qui veut dire la moyenne de buts marqués contre un gardien au cours de la saison.

Gardien	1er nov.	1er déc.	1er janv.	1er févr.	1er mars	1er avril	1er mai

CAPITALS DE WASHINGTON

Le nom de Nicklas Backstrom est souvent mentionné lorsqu'il est question de joueurs sous-évalués dans la LNH. C'est peut-être parce que la plupart des partisans ont davantage tendance à diriger leur attention vers son compagnon de trio, Alexander Ovechkin. Si Nicklas se fond dans la masse pour l'amateur moyen, ses coéquipiers, et particulièrement Alexander, savent reconnaître ses qualités. Ils sont conscients que Nicklas est un joueur de hockey spectaculaire.

« Son quotient intellectuel de hockey est sans égal. Il contrôle la rondelle dans les deux sens de la patinoire mieux que quiconque. De tous les bons joueurs que j'ai dirigés, il est le plus complet. »
— L'entraîneur des Capitals, Barry Trotz

« Il a contribué à tellement de mes buts, déclare Alexander. Il est le joueur avec lequel j'ai le plus de plaisir à jouer. Une belle chimie s'opère entre nous. »

À peine arrivé dans la LNH en 2007-2008, Nicklas s'est retrouvé sur le trio d'Ovie. Depuis, il a récolté une mention d'aide sur environ la moitié des buts de son partenaire (214 sur 460). Ils forment un duo redoutable en supériorité numérique et, depuis qu'ils sont réunis, personne d'autre n'a accumulé plus de points qu'eux sur le jeu de puissance.

Depuis 2007-2008, seuls Joe Thornton et Henrik Sedin ont récolté plus de mentions d'aide que Nicklas. Il a obtenu la 500e mention d'aide de sa carrière le 7 janvier dernier contre les Sénateurs d'Ottawa. Comme il le fait souvent, il s'est faufilé avec la rondelle jusqu'à la ligne bleue avant de faire une passe du revers à T.J. Oshie qui a trouvé le fond du filet.

« Au fil des années, il a fait briller bien des partenaires, au moins 500 fois, a dit son ancien coéquipier Nate Schmidt qui était sur la patinoire lorsque Nicklas a atteint le plateau magique. C'est un joueur exceptionnel. Bravo à lui. C'est un véritable professionnel et un leader important. »

Les éloges pleuvent de partout. Après tout, Nicklas n'est peut-être pas un joueur si sous-évalué. Il vient en tête de liste des joueurs sous-estimés de la LNH. Quels que soient les mots utilisés pour le qualifier, assurez-vous d'ajouter le mot « gagnant » à la conversation.

LE SAVAIS-TU?

Comme de nombreux joueurs, Nicklas a été élevé dans une famille de hockey. Son père, Anders, a joué pendant neuf ans avec Brynas dans la Ligue de hockey suédoise. Son frère aîné, Kristoffer, a aussi joué au hockey professionnel pendant dix ans, en Suède et en Allemagne.

SOUVENIR

Nicklas a reçu sa première paire de patins pendant l'été. Il était tellement excité qu'il les portait au lit! Il se souvient d'avoir fait ses premiers pas avec ses patins en marchant dans l'allée à côté de la maison.

MJ	B	A	PTS
82	23	63	86

Premier choix des Capitals, 4e au total,
au repêchage d'entrée dans la LNH de 2006
Première équipe de la LNH et saison : Capitals de Washington, 2007-2008
Né le 23 novembre 1987 à Gavle (Suède)
Position : centre
Tir : de la gauche
Taille : 1,85 m
Poids : 97 kg

SERGEI BOBROVSKY

On pourrait penser qu'une ou deux bonnes saisons dans la LNH permettent à un joueur de s'assurer une place dans son équipe, cependant dès qu'un joueur montre des signes de faiblesse, les bonnes saisons sont vite oubliées. Il faut alors se battre pour garder sa place, surtout si on est gardien (sans doute le poste où on ressent le plus de pression).

Pendant la saison 2012-2013, le nom du gardien de but des Blue Jackets, Sergei Bobrovsky, était sur toutes les lèvres. Il a remporté le trophée Vézina, décerné au meilleur gardien de but de la LNH, avec une fiche de 21-11-6, une moyenne de buts alloués de 2,00 et un taux d'efficacité de 0,932. Il a été l'un des meilleurs de la ligue au cours des deux saisons suivantes avec un total de 62 victoires (32 en 2013-2014 et 30 en 2014-2015). Mais les choses ont mal tourné la saison suivante. Blessé à l'aine, Sergei n'a disputé que 37 matchs. Celui que ses coéquipiers surnomment « Bob » savait qu'il ne pouvait se permettre une mauvaise saison. Il a travaillé pour améliorer sa vitesse et son agilité. De plus, il a maigri de 6,5 kg pour bien se préparer au début de la saison.

« Les gardiens de but doivent être vifs, a dit Bob. Plus léger, vous vous déplacez mieux. Je n'ai pas hésité à perdre du poids. Je me sentais mieux à mon retour sur la patinoire. »

> « La carrière d'un gardien de but est comme un long voyage. On essaie des choses, on en retient quelques-unes et on en laisse d'autres, mais il faut toujours aller de l'avant. »

Lors de la Coupe du monde de hockey en 2016, Bob a été l'un des meilleurs gardiens de but du tournoi, et au début de la saison dans la LNH, il a conduit les Blue Jackets de Columbus à une série de 16 victoires consécutives. Bob était de retour et meilleur que jamais. Il a amorcé un record de 63 matchs, a remporté 41 victoires (son record en carrière), et a affiché le meilleur taux d'efficacité de la ligue (0,931). Résultat, il a remporté le trophée Vézina. Le président des opérations hockey de Columbus, John Davidson, qui est lui-même un ancien gardien de but de la LNH, a bien résumé la situation : « Il est redevenu très bon. Exceptionnel. Il ressemble au Bob des années passées. Plus aucune inquiétude à son sujet. »

LE SAVAIS-TU?

Sergei n'a même pas été réclamé par une équipe de la LNH. Les Flyers de Philadelphie ont éventuellement tenté leur chance en lui offrant un contrat après qu'il eut disputé quatre saisons dans la KHL avec l'équipe de sa ville natale, Novokuznetsk.

SOUVENIR

À son premier camp d'entraînement de la LNH, on ne s'attendait pas à ce que Sergei intègre l'équipe des Flyers de Philadelphie, mais plutôt les ligues mineures. Il a obtenu un poste avec l'équipe et il est devenu à 22 ans et 17 jours le plus jeune gardien de l'histoire des Flyers à être titularisé pour le match inaugural de la saison.

Statistiques 2016-2017

MJ	V	D	DP	MBA	BL
63	41	17	5	2,06	7

N'a pas été réclamé au repêchage – engagé par les Flyers de Philadelphie comme joueur autonome le 6 mai 2010

Première équipe de la LNH et saison : Flyers de Philadelphie, 2010-2011

Né le 20 septembre 1988 à Novokuznetsk (Russie)

Position : gardien de but

Attrape : de la gauche

Taille : 1,88 m

Poids : 82,5 kg

BRENT BURNS

La saison dernière a été un tournant pour Brent Burns. Même s'il est un grand joueur, de nombreux amateurs de hockey de la LNH le connaissent davantage pour sa grosse barbe, ses tatouages et son amour des animaux exotiques que pour ses prouesses sur la patinoire. La barbe est toujours là, comme sa personnalité excentrique, mais Brent a aussi connu une des meilleures saisons offensives pour un défenseur de la LNH depuis longtemps.

Brent a été le meilleur pointeur de tous les défenseurs de la LNH, en totalisant 76 points (29 buts, 47 mentions d'aide). Même si Erik Karlsson et Victor Heldman ont tous les deux vécu une excellente saison, il n'est pas surprenant que ce soit Brent qui ait quitté la soirée des lauréats de la LNH avec le trophée Norris remis au meilleur défenseur du circuit.

« Il est si grand et si fort que vous ne voulez même pas l'affronter à l'entraînement, a dit son coéquipier Joe Thornton. Il est intimidant en plus d'être un patineur rapide et de posséder un tir foudroyant. Il réunit toutes les qualités d'un joueur de concession. »

Brent a pris ses marques comme défenseur à plein temps plutôt tard dans sa carrière. Durant ses premières saisons dans la ligue, on l'a utilisé tantôt comme défenseur offensif, tantôt comme attaquant de puissance. Il a disputé toute la saison 2013-2014 comme attaquant. Les Sharks l'ont replacé en défense pour de bon en 2014-2015.

> « Oui, on me parle beaucoup de mon apparence. On me remarque pour ça, mais ça ne me dérange pas du tout. En ce qui concerne ma dentition, j'en prendrai soin à la fin de ma carrière. Pendant longtemps, je ne pouvais pas me faire pousser la barbe alors maintenant, j'en profite. »

« Je me suis bien amusé à changer de position, a confié Brent à un journaliste. À l'avant, tu ne penses pas trop et tu patines à fond. Tu t'amuses. Aucun stress! Puis tu retournes à la défense et tu dois recommencer à réfléchir. »

Ce n'est habituellement pas de cette façon que la plupart des joueurs de la LNH décrivent la différence entre jouer à l'avant et à la défense, mais c'est cette désinvolture qui rend Brent unique. Peu importe ce qu'il fait ou sa façon d'aborder les choses, tout se passe toujours bien.

LE SAVAIS-TU?

En plus d'avoir remporté le trophée Norris remis au meilleur défenseur de la LNH la saison dernière, Brent a été proclamé deux fois meilleur défenseur au Championnat mondial de hockey : en 2008, lorsque le Canada a gagné la médaille d'argent, puis en 2015 lorsque le Canada a remporté l'or.

SOUVENIR

Brent a perdu le compte du nombre de ses tatouages, mais il se souvient de son tout premier, à l'âge de 11 ans! Il était avec son père qui se faisait tatouer et a décidé de se faire tatouer le drapeau canadien avec un bâton de hockey.

MJ	B	A	PTS
82	29	47	76

Premier choix du Wild du Minnesota, 20e au total,
au repêchage d'entrée dans la LNH de 2003
Première équipe de la LNH et saison : Wild du Minnesota, 2003-2004
Né le 9 mars 1985 à Barrie (Ontario)
Position : défenseur
Tir : de la droite
Taille : 1,95 m
Poids : 104,5 kg

SIDNEY CROSBY

En 100 ans d'existence de la LNH, seulement 86 joueurs ont atteint le plateau de 1 000 points en carrière. Si vous êtes amateur de hockey, vous reconnaîtrez la plupart de ces grands noms : Gretzky, Howe, Hull, Sundin, Kurri – la liste est impressionnante. La plus récente addition à la liste est le plus grand joueur de son époque, Sidney Crosby.

> **« Je ne m'attache pas trop aux statistiques. Lorsque tu t'approches d'un record ou d'un chiffre magique, tu souhaites l'atteindre au plus vite et continuer à aller de l'avant. »**

Sidney a réussi l'exploit lors d'un match à domicile contre les Jets de Winnipeg auquel assistaient son père et sa mère. Après avoir obtenu son 998e point, il n'avait pas marqué pendant deux matchs. Il avait ensuite récolté une mention d'aide contre les Canucks de Vancouver pour arriver à un point du chiffre magique. Au début de la première période du match suivant contre les Jets, Sidney a servi une passe parfaite à son compagnon de trio Chris Kunitz qui a trouvé le fond du filet. Sidney a récolté une autre mention d'aide avant d'inscrire le but victorieux en prolongation.

« Le plateau des 1 000 points était le sujet de conversation depuis quelque temps, alors c'était bien de l'atteindre et de savourer une victoire », a dit Sidney après le match.

Seulement onze joueurs ont atteint la marque de 1 000 points en moins de matchs que Sidney (757 matchs). Après avoir atteint cette marque impressionnante, Sidney, comme à son habitude, n'a pas tardé à mettre en lumière ses partenaires.

« J'ai eu la chance de faire partie de bonnes équipes. Comme joueur, on vise la régularité, ce que je suis fier d'avoir réussi. Mais j'ai aussi eu la chance de jouer aux côtés de plusieurs grands joueurs. »

Même s'il n'a pas remporté le trophée Hart, Sidney a bu du champagne dans la Coupe Stanley pour la troisième fois de sa carrière. Il a aussi remporté le trophée Conn Smythe décerné au joueur le plus utile en séries éliminatoires pour la deuxième année consécutive.

Il y a bien quelques prétendants, mais le titre de plus grand joueur de cette génération appartient toujours à la fierté des Penguins et de la Nouvelle-Écosse : Sidney Crosby.

LE SAVAIS-TU?

Chez les juniors, le surnom de Sidney était « Darryl », en référence à Darryl Sittler. Ses coéquipiers lui ont donné ce surnom après qu'il eut amassé huit points dans un match préparatoire. Sittler avait établi un record de la LNH en inscrivant 10 points en un match le 7 février 1976.

SOUVENIR

À l'instar de 26 autres joueurs seulement, Sidney a remporté une médaille d'or aux Jeux olympiques et au Championnat mondial de hockey en plus d'une Coupe Stanley. Il est le seul à avoir été le capitaine de chacune de ces équipes championnes.

MJ	B	A	PTS
75	44	45	89

Premier choix des Penguins, 1er au total,
au repêchage d'entrée dans la LNH de 2005
Première équipe de la LNH et saison : Penguins de Pittsburgh, 2005-2006
Né le 7 août 1987 à Cole Harbour (Nouvelle-Écosse)
Position : centre
Tir : de la gauche
Taille : 1,80 m
Poids : 91 kg

DEVAN DUBNYK

L'une des histoires les plus rafraîchissantes des dernières saisons dans la LNH a été la progression de Devan Dubnyk qui est passé de gardien de but ordinaire à l'un des meilleurs de la ligue.

> **« Le jeu est tellement rapide que vous n'avez aucune chance si vous avez la moindre hésitation. »**

Les Oilers d'Edmonton fondaient de grands espoirs en Devan après en avoir fait leur choix de premier tour au repêchage de 2004. Mais il a fallu attendre cinq ans pour qu'il soit rappelé par les Oilers au courant de la saison 2009-2010. Il a connu peu de succès, si bien qu'il a été échangé à Nashville en janvier 2014, puis aux Canadiens de Montréal à la date limite des transactions. Montréal l'a envoyé en ligue mineure pour le reste de la saison.

Devan s'est par la suite joint aux Coyotes de l'Arizona à titre de joueur autonome au début de la saison 2014-2015. Le déclic s'est fait lorsqu'il a commencé à travailler en compagnie de Sean Burke, l'entraîneur des gardiens des Coyotes et ancien gardien de but de la LNH.

« Sean m'a conseillé d'utiliser mon gabarit, raconte Devan. Lorsque vous êtes aussi imposant que moi, c'est un avantage. Vous vous installez, vous couvrez les angles et vous attendez que le jeu se déroule devant vous. »

Devan a repris confiance au contact de Burke. Il est aussi devenu moins hésitant – une faute majeure pour un gardien de but. Échangé au Minnesota en janvier 2015, Devan a aussitôt stabilisé la situation du Wild devant le filet. Il a complété la saison avec une fiche de 27-9-2 et une moyenne de buts alloués de 1,78. Il n'a plus jamais regardé en arrière. Il vient de terminer de nouveau une excellente saison avec le Wild, se classant quatrième dans la ligue pour le nombre de victoires (40) avec une moyenne de buts alloués de 0,923.

Devan est l'exemple parfait d'une personne qui refuse de renoncer à ses rêves, même si les autres ont perdu confiance en lui. Il est l'un des joueurs les plus gentils de la LNH et l'un des meilleurs gardiens de but.

LE SAVAIS-TU?

Le dessin d'une girafe qui apparaît sur la plupart des masques de gardien de Devan fait référence à son surnom quand il était petit.

SOUVENIR

Devan conserve de précieux souvenirs de la Coupe Spengler de 2012, un tournoi international annuel disputé à Davos, en Suisse. Devan a participé au tournoi à deux occasions; la deuxième fois, il a aidé le Canada à remporter le championnat.

Statistiques 2016-2017

MJ	V	D	DP	MBA	BL
65	40	19	5	2,25	5

**Premier choix des Oilers d'Edmonton, 14ᵉ au total,
au repêchage d'entrée dans la LNH de 2004**

Première équipe de la LNH et saison : Oilers d'Edmonton, 2009-2010

Né le 4 mai 1986 à Regina (Saskatchewan)

Position : gardien de but

Attrape : de la gauche

Taille : 1,98 m

Poids : 97 kg

JOHNNY GAUDREAU

Durant la troisième période d'un match entre les Flames de Calgary et les Penguins de Pittsburgh, à la fin de la saison dernière, les amateurs de hockey ont été témoins de la magie de Johnny Gaudreau. Johnny s'est emparé de la rondelle à la ligne bleue des Flames, a longé le côté gauche de la patinoire, s'est défait d'un adversaire en zone neutre et a déjoué d'une feinte vers l'intérieur un autre défenseur à la ligne bleue des Penguins. Il a ensuite évité le plongeon d'un joueur avant de contourner le filet et de marquer un but, tout cela sous les yeux de quatre joueurs des Penguins confinés au rôle de spectateurs. Lorsque la foule s'est enflammée, le commentateur de la télévision a simplement dit : « Il est vraiment spécial. »

« Les gens de Calgary sont passionnés de hockey. J'aime bien aller à l'épicerie et prendre des photos avec les partisans ou aller chercher un café et entendre les gens parler du match de la veille. »

Johnny s'apprête à entreprendre sa quatrième saison dans la LNH et les amateurs de hockey tiennent désormais ses prouesses pour acquis.

Ils s'attendent toujours à un nouveau but ou à une autre manœuvre permettant à « Johnny Hockey » d'éviter d'être malmené par des joueurs plus imposants que lui. Cette faculté de se démarquer lorsqu'il est au cœur de l'action, Johnny a commencé à l'affiner tout jeune dans une petite ville du New Jersey où son père était en charge de la patinoire locale. « Mon père, qui m'a dirigé jusqu'à l'âge de 17 ou 18 ans, était aussi de petite taille, se souvient Johnny. Il m'a enseigné les trucs indispensables à un tout petit joueur. Vous devez utiliser votre rapidité et essayer de jouer de façon intelligente en possession de la rondelle. Mon père me répétait qu'il est plus facile pour un joueur imposant de faire partie d'une équipe, mais qu'un plus petit joueur devait gagner sa place. Je n'ai jamais oublié cette observation. »

Johnny a depuis longtemps cessé de s'inquiéter à l'idée de mériter une place dans une équipe. Il joue maintenant un rôle de premier plan aux côtés d'excellents jeunes joueurs. Ces moments magiques qu'il crée nourrissent un grand espoir, celui de gagner la Coupe Stanley.

LE SAVAIS-TU?

Johnny a disputé sa première saison complète dans la LNH en 2014-2015. Il a toutefois fait ses débuts lors du dernier match de la saison 2013-2014. Il a totalisé 20 présences sur la patinoire, a été utilisé pendant plus de 15 minutes et a marqué lors de son tout premier tir au but.

SOUVENIR

Comme son père était en charge de la patinoire locale, se retrouver sur la glace n'a jamais été un problème pour Johnny quand il était petit. Il s'entraînait deux fois tous les matins durant l'entre-saison, une fois avec l'équipe de son frère et ensuite avec la sienne. Il restait pendant des heures sur la patinoire.

Statistiques 2016-2017

MJ	B	A	PTS
72	18	43	61

Quatrième choix des Flames de Calgary, 104ᵉ au total,
au repêchage d'entrée dans la LNH de 2011
Première équipe de la LNH et saison : Flames de Calgary, 2014-2015
Né le 13 août 1993 à Salem (New Jersey)
Position : ailier gauche
Tir : de la gauche
Taille : 1,75 m
Poids : 71,5 kg

VICTOR HEDMAN

Victor Hedman a bien failli remporter deux des plus prestigieux trophées de la LNH : le trophée Conn Smythe remis au joueur le plus utile à son équipe durant les séries de la Coupe Stanley et le trophée Norris décerné au meilleur défenseur de la LNH. La saison dernière, il a été au cœur de la lutte pour le trophée Norris. Il a terminé troisième au scrutin au terme de sa meilleure saison avec 72 points – se classant deuxième parmi tous les défenseurs du circuit.

> « Je suis très exigeant envers moi-même. Je veux donner le meilleur, dans les deux sens de la patinoire, à chaque match. Je veux accumuler des points, mais je veux aussi empêcher la rondelle de pénétrer dans le filet. »

« J'ai commencé la saison avec l'idée de tirer au but plus souvent, a dit Victor. Je voulais que mon lancer devienne plus menaçant. »

De plusieurs façons, la série finale de la Coupe Stanley de 2015 entre Tampa Bay et Chicago a permis à Victor, deuxième choix au total du repêchage de 2009, de se retrouver pour la première fois sous les projecteurs. Pour les partisans du Lightning et pour ses coéquipiers, le jeu spectaculaire de Victor en finale de la coupe n'avait rien de surprenant.

« Je ne trouve pas les mots pour décrire ce qu'il représente pour nous, disait à l'époque le capitaine du Lightning, Steve Stamkos. Il a été une véritable bête. Un vrai monstre. »

Mais les Blackhawks ont remporté la Coupe et Victor n'a pas reçu le trophée Conn Smythe. Il arrive rarement qu'un joueur de l'équipe perdante mette la main sur le trophée. C'est arrivé seulement cinq fois, et quatre de ces cinq lauréats étaient des gardiens de but.

Participant la saison dernière à l'une des courses aux séries les plus endiablées des dernières années dans l'Association de l'Est, le Lightning a raté de peu le rendez-vous printanier.

Victor est plus déterminé que jamais à mettre la main sur un trophée de la LNH. Il y a de grandes chances qu'il inscrive son nom sur au moins un de ceux-ci avant de mettre un terme à sa carrière, ce qui n'arrivera pas avant des années.

Mais ce n'est pas un trophée individuel qu'il convoite. C'est le trophée le plus important du hockey : la Coupe Stanley.

LE SAVAIS-TU?

Victor vient de la ville de Ornskoldsvik, en Suède (population de 30 000 habitants) qui a produit de grands joueurs de hockey. C'est aussi la ville d'origine de Peter Forsberg, membre du Temple de la renommée du hockey, d'Anders Hedberg, de Daniel et Henrik Sedin, et de Markus Naslund, pour ne citer qu'eux.

SOUVENIR

« Nous rêvons tous de patiner et de jouer comme les vedettes de la LNH, mais on ne m'a jamais imposé la pression d'atteindre la LNH. Mes parents voulaient simplement que je m'amuse. Lorsque je pense à la magie du hockey suédois, un seul mot me vient en tête : le plaisir. »

Statistiques 2016-2017

MJ	B	A	PTS
79	16	56	72

Premier choix du Lightning de Tampa Bay, 2ᵉ au total,
au repêchage d'entrée dans la LNH de 2009
Première équipe de la LNH et saison : Lightning de Tampa Bay, 2009-2010
Né le 18 décembre 1990 à Ornskoldsvik (Suède)
Position : défenseur
Tir : de la gauche
Taille : 1,98 m
Poids : 101,5 kg

Bo Horvat

Dans quelques années, lorsque les partisans des Canucks de Vancouver réfléchiront sur la transition après « l'ère des Sedin », la saison dernière viendra probablement alimenter les conversations. Pour commencer, c'était la première fois depuis 2005-2006 que le meilleur pointeur de l'équipe ne s'appelait pas Sedin. L'honneur est plutôt revenu à l'une des supervedettes montantes de la LNH, Bo Horvat, qui a connu la meilleure saison de sa jeune carrière. Bo a atteint pour la première fois les plateaux de 20 buts et 50 points. Un beau revirement de situation pour un joueur qui avait connu des difficultés la saison précédente avec une séquence de 27 matchs sans but ni point et qui s'est classé au deuxième rang du différentiel plus-moins, la pire statistique de la LNH. Les Canucks ont-ils douté un instant que Bo ne retrouve pas ses repères?

« Nous n'avons jamais douté de lui, affirme l'ancien entraîneur chef des Canucks, Willie Desjardins. Pourquoi? Parce que nous savions à quel point il cherche à s'améliorer. Si vous vous contentez d'être un joueur moyen, alors vous serez un joueur moyen. Ce n'est pas du tout sa façon de penser. »

Il apparaît évident que le moment venu, Bo deviendra le meneur de la prochaine génération des Canucks. Il a été l'un des rares joueurs à arborer le « A » sur son chandail après que le vétéran Alex Burrows, un assistant capitaine, a été échangé.

> **« Mes parents ont dû travailler fort pour obtenir tout ce qu'ils possèdent, et rien ne leur a été donné. C'est ce qui me fait travailler avec ardeur et m'aide à rester humble. »**

« C'est un grand honneur de porter une lettre sur ton chandail, a dit Bo après son premier match en tant qu'assistant capitaine. Je ne me suis pas laissé influencer. Je me suis contenté de jouer et de faire ce qui m'a permis de me rendre jusqu'ici. »

Ajoutez une participation au match des étoiles à Los Angeles la saison dernière et Bo peut se réjouir d'avoir connu la plus fructueuse saison de sa jeune carrière. Mais Horvat n'est pas du genre à regarder en arrière. Il va de l'avant, dans l'espoir de devenir encore meilleur.

LE SAVAIS-TU?

Bo vient de Rodney, en Ontario, une petite ville agricole d'à peine 1 000 habitants à 50 kilomètres de London. Lorsqu'il a été réclamé par les Canucks au premier tour du repêchage de 2013, presque toute la ville s'est réunie à l'aréna locale pour célébrer.

SOUVENIR

Lorsque Bo était jeune, son père, Tim, a fait l'acquisition des vieilles rampes d'une patinoire locale. Il les a installées dans le sous-sol afin que lui et son frère, Cal, puissent décocher des tirs sans démolir totalement la maison.

Statistiques 2016-2017

MJ	B	A	PTS
81	20	32	52

Premier choix des Canucks de Vancouver, 9ᵉ au total,
au repêchage d'entrée dans la LNH de 2013.
Première équipe de la LNH et saison : Canucks de Vancouver, 2014-2015
Né le 5 avril 1995 à London (Ontario)
Position : centre
Tir : de la gauche
Taille : 1,83 m
Poids : 101 kg

PATRICK KANE

À la veille d'entreprendre sa 11ᵉ saison dans la LNH, Patrick Kane est l'un des meilleurs pointeurs de son époque. Depuis ses débuts dans la ligue en 2007-2008, seulement trois joueurs ont récolté plus de points que lui. Patrick totalise 752 points durant cette période, n'étant devancé que par Alex Ovechkin (837) et Sidney Crosby (805). Il n'est donc pas surprenant qu'une génération de joueurs nés aux États-Unis ait grandi en ayant Patrick comme idole.

« Il faut profiter du moment présent et ne pas penser à ce qui va se passer plus tard. Amusez-vous, travaillez fort et vous verrez où ça va vous mener. »

« C'est sûr que je le regardais quand j'étais plus jeune, affirme Auston Matthews, la vedette des Leafs de Toronto. Les Blackhawks participaient aux séries éliminatoires et c'était l'occasion de voir jouer Kane et Toews. »

Patrick possède cette qualité commune à plusieurs grands joueurs : lorsqu'il est en possession de la rondelle en zone offensive, personne dans l'aréna – coéquipiers, adversaires et surtout les spectateurs – ne le quitte des yeux. Les gens s'attendent à quelque chose d'excitant. Une belle passe, un tir précis ou simplement une feinte.

Patrick a accompli beaucoup en 2015-2016. Il a été le meilleur marqueur de la LNH, il a gagné le trophée Hart remis au joueur le plus utile à son équipe et le Prix Ted Lindsay attribué au meilleur joueur selon un scrutin mené auprès des joueurs de la LNH. Il possède trois bagues de la Coupe Stanley (2010, 2013 et 2015). Malgré tout, il n'a jamais changé sa façon de jouer. Patrick a joué à une époque dominée par les joueurs forts et physiquement imposants. Aujourd'hui, grâce à quelques nouvelles règles, les joueurs plus petits comme Mitch Marner ou Johnny Gaudreau progressent davantage.

« Je joue de la même façon depuis le début de ma carrière. Pour bien jouer au hockey, il faut savoir se contenter de faire ce que l'on sait faire. »

Les partisans de Chicago ne voient pas pourquoi Patrick changerait quoi que ce soit. Son style de jeu inspire la prochaine génération de joueurs vedettes américains – et canadiens.

LE SAVAIS-TU?

À l'âge de 14 ans, Patrick a déménagé à Detroit afin de pouvoir jouer dans un prestigieux programme de hockey AAA. Il a habité pendant un certain temps chez Pat Verbeek, un joueur vétéran de la LNH, une expérience que Patrick qualifie de « formidable ».

SOUVENIR

« Représenter votre pays aux Jeux olympiques est une expérience incroyable. Vous sentez l'appui de 300 millions de gens. Ce n'est pas Chicago contre Detroit ou Chicago contre St. Louis, une confrontation entre seulement deux villes. Vous sentez toutes les villes des États-Unis derrière vous. C'est extraordinaire. »

MJ	B	A	PTS
82	34	55	89

Premier choix des Blackhawks de Chicago, 1er au total,
au repêchage d'entrée dans la LNH de 2007
Première équipe de la LNH et saison : Blackhawks de Chicago, 2007-2008
Né le 19 novembre 1988 à Buffalo (New York)
Position : ailier droit
Tir : de la gauche
Taille : 1,80 m
Poids : 80,5 kg

ERIK KARLSSON

SÉNATEURS D'OTTAWA

Erik Karlsson n'y est pas allé par quatre chemins lorsqu'il s'est entretenu avec le nouvel entraîneur chef des Sénateurs d'Ottawa, Guy Boucher, avant le début de la dernière saison.

« Il m'a dit : "Coach, je veux gagner. Je ne me préoccupe pas des statistiques individuelles. Je veux être le capitaine d'une équipe gagnante", se souvient Boucher. C'est facile à dire, mais c'est ce qu'il a réussi à faire. »

Un coup d'œil aux statistiques de la dernière saison permet de constater qu'Erik n'est pas subitement passé d'un des joueurs offensifs les plus prometteurs de son époque à un défenseur qui s'aventure rarement en zone offensive. Loin de là. Il a terminé la saison au troisième rang des pointeurs parmi les défenseurs de la LNH. Ses 71 points ne sont qu'à 11 points de sa marque personnelle de 82 établie la saison précédente. Mais il a néanmoins adapté son style de jeu à la philosophie de Boucher : « la défense d'abord ». Erik a bloqué plus de tirs que lors de n'importe quelle saison dans sa carrière, terminant en deuxième position dans la LNH avec 201 tirs bloqués. Il a aussi décoché moins de tirs au but que par le passé.

En effet, il n'a connu que deux saisons avec moins de tirs au but que cette année dans sa carrière.

L'explication est fort simple. « Avec l'équipe en place et le style de jeu que nous préconisons, je pense que chacun a mis du sien pour s'adapter à ce style de jeu afin qu'il soit efficace. Certains soirs, tu penses que tu voudrais ou pourrais en faire plus, mais tu n'en as pas l'occasion. Au bout du compte, c'est le résultat qui est important. »

« Quiconque connaît le hockey et a regardé des matchs des Sénateurs d'Ottawa reconnaîtra qu'il est de loin le meilleur défenseur de la LNH. » — Marc Méthot, ancien défenseur des Sénateurs.

En d'autres mots, Erik a sacrifié un peu de son jeu offensif pour s'assurer que l'équipe soit plus stable défensivement. C'est la marque d'un leader et d'un bon coéquipier.

LE SAVAIS-TU?

Une manœuvre astucieuse a permis à Bryan Murray, directeur général des Sénateurs, de réclamer Erik Karlsson. Ce dernier allait être réclamé avant même que les Sénateurs puissent le faire. Au premier tour du repêchage, Bryan a réussi à changer de place avec Nashville, ce qui lui a permis de mettre la main sur Erik.

SOUVENIR

« Dans ma ville natale (Landsbro compte moins de 1 500 habitants), il y a une patinoire et c'est à peu près tout. On y trouve aussi une épicerie et une pizzeria. J'adorais la pizza appelée "Spéciale Suède", avec des oignons crus et de la sauce kebab. Je me souviens que je passais presque tout mon temps à la patinoire. »

MJ	B	A	PTS
77	17	54	71

Premier choix des Sénateurs d'Ottawa, 15e au total,
au repêchage d'entrée dans la LNH de 2008
Première équipe de la LNH et saison : Sénateurs d'Ottawa, 2009-2010
Né le 31 mai 1990 à Landsbro (Suède)
Position : défenseur
Tir : de la droite
Taille : 1,83 m
Poids : 87 kg

PATRIK LAINE

Lorsque vous regardez Patrik Laine jouer au hockey, vous ne pouvez qu'être impressionné par son tir. La flexion excessive du manche de son bâton produit un missile précis qui fait faire des cauchemars aux gardiens de but. Patrik a presque décoché le tir le plus rapide de la compétition d'habiletés lors du match des étoiles de l'an dernier avec un boulet à 163,7 km/h, juste derrière celui de Shea Weber. Il n'a pas développé ce foudroyant lancer du jour au lendemain. Pour y parvenir, Patrik a consacré des centaines d'heures à faire des tirs.

> « Nous sommes tous différents, et je veux rester moi-même. Je n'ai pas à me soucier de ce que font les autres. Les gens peuvent dire ce qu'ils veulent, mais je veux créer ma propre voie. »

« Tous les jours, je passais des heures à tirer des rondelles dans un filet dans la cour arrière, a expliqué Patrik. Sur la patinoire, après un entraînement ou pendant que les autres joueurs faisaient une pause, j'en profitais pour continuer à améliorer mon tir. »

Ne pouvant se permettre d'ignorer un jeune joueur aussi doué et aussi consciencieux, les Jets de Winnipeg ont fait de Patrik le deuxième choix au total au repêchage d'entrée dans la LNH de 2016 – juste après que les Leafs de Toronto eurent réclamé Auston Matthews. Patrik a connu une première saison sensationnelle en terminant au deuxième rang des recrues avec 36 buts et 28 mentions d'aide pour 64 points. Il a terminé deuxième derrière Auston Matthews pour l'obtention du trophée Calder qui est remis à la meilleure recrue de l'année. Patrik s'est classé au septième rang pour le nombre de buts marqués parmi tous les joueurs de la LNH.

« Il est évidemment très jeune et très doué, fait remarquer le vétéran Alex Ovechkin. Je me souviens que lors de ma première saison, tout le monde parlait de Sidney Crosby et de moi. Aujourd'hui, les gens parlent de Matthews et de Laine. Ces deux gars-là représentent l'avenir et ils deviendront des supervedettes. »

L'étincelante première saison de Patrik n'a pas suffi pour mener les Jets aux séries éliminatoires. Un effort individuel suffit rarement. Mais avec des jeunes aussi talentueux que Patrik, Nikolaj Ehlers et Mark Scheifele en plein développement, les printemps à venir seront sans doute plus agités à Winnipeg.

LE SAVAIS-TU?

L'un des accomplissements dont Patrik est le plus fier est la conquête du championnat de la Ligue de Finlande en 2016. Il a eu le bonheur de jouer pour l'équipe de sa ville natale, Tappara Tampere, l'équipe favorite de son enfance.

SOUVENIR

Patrik se souviendra toujours de son premier but dans la LNH. Il est survenu à son premier match dans la LNH en présence de ses parents. « Le plus beau moment au monde », s'est exclamé Patrik.

Statistiques 2016-2017

MJ	B	A	PTS
73	36	28	64

Premier choix des Jets de Winnipeg, 2e au total,
au repêchage d'entrée dans la LNH de 2016
Première équipe de la LNH et saison : Jets de Winnipeg, 2016-2017
Né le 19 avril 1998 à Tampere (Finlande)
Position : ailier droit
Tir : de la droite
Taille : 1,95 m
Poids : 93,5 kg

BRAD MARCHAND

Certains appellent cela « jouer à la limite » alors que d'autres qualifient de « sans limites » le style de jeu de Brad Marchand. Peu importe la façon de le décrire, il est indéniable que Brad a tendance à défier les règles avec un style de jeu qui incite parfois les adversaires à lui laisser un peu d'espace supplémentaire. Dans une ligue où le jeu en défense n'a d'égal nulle part ailleurs, chaque pouce gagné peut faire la différence entre compter des buts et faire des mentions d'aide, et devenir un solide attaquant ou avoir de la difficulté à conserver son poste au sein d'une équipe.

> **« J'avoue que j'en ai un peu assez d'être perçu comme un provocateur ou un agitateur. Je peux marquer des buts, récolter des points et être un bon joueur. J'aimerais être reconnu pour ça aussi. »**

Après avoir passé la saison 2009-2010 entre les ligues mineures et la LNH, Brad a fait sa place pour de bon avec les Bruins en 2010-2011. Il a largement contribué à la conquête de la Coupe Stanley des Bruins en 2011 avec 11 buts en 25 matchs éliminatoires.

Pour les Bruins, il s'agissait du record du plus grand nombre de buts en séries pour une recrue.

Brad a connu la meilleure saison de sa carrière l'an dernier. Meilleur marqueur des Bruins, il a terminé au sixième rang de la ligue avec 85 points. Tous les aspects du jeu de Brad sont arrivés à maturité en même temps – son coup de patin, son maniement de la rondelle et surtout son excellent tir. Ce tir, de même que son équilibre et son coup de patin, sont le résultat de centaines d'heures de travail acharné. Plus jeune, il a décoché des tirs et travaillé plus longtemps et plus fort que tous les autres.

« J'ai toujours rêvé d'atteindre la LNH, mais au début j'espérais au moins pouvoir jouer au hockey junior ou poursuivre mes études grâce au hockey, raconte Brad. En vieillissant, j'ai commencé à pousser davantage en voyant que la LNH devenait vraiment une possibilité. »

À l'aube de la deuxième année d'une prolongation de contrat qui lui fera porter le chandail des Bruins jusqu'en 2024-2025, et ce après la meilleure saison de sa carrière, il faut admettre qu'il est vraiment capable de jouer dans la LNH.

LE SAVAIS-TU?

Lors du septième match de la finale de la Coupe Stanley contre Vancouver en 2011, le match le plus important de la série qui devait permettre aux Bruins de remporter la Coupe, Brad a marqué deux buts et a récolté une mention d'aide dans une victoire de 4-0 des Bruins.

SOUVENIR

Si rien n'a été plus exaltant que la conquête de sa première Coupe Stanley en 2011, marquer le but victorieux à 44 secondes de la fin de la troisième période pour le Canada à la Coupe du monde de 2016, alors que son équipe jouait en infériorité numérique, vient au deuxième rang de ses souvenirs les plus mémorables

MJ	B	A	PTS
80	39	46	85

Quatrième choix des Bruins de Boston, 71e au total,
au repêchage d'entrée dans la LNH de 2006
Première équipe de la LNH et saison : Bruins de Boston, 2010-2011
Né le 11 mai 1988 à Halifax (Nouvelle-Écosse)
Position : ailier gauche
Tir : de la gauche
Taille : 1,75 m
Poids : 82 kg

MITCH MARNER

Au sein de n'importe quelle autre équipe la saison dernière, le nom de la recrue Mitch Marner aurait été sur toutes les lèvres. En effet, il a dominé toutes les autres recrues de la LNH pour les mentions d'aide et a conclu la saison avec 61 points. Mais lorsque vous faites partie de la même équipe que la recrue de l'année Auston Matthews, vous attirez moins l'attention des partisans et des médias.

> « J'ai grandi en entendant tout le monde dire "il est trop petit" ou des choses du genre. Ça ne m'a jamais dérangé. »

Mais Mitch n'était pas là pour se préoccuper de ce que pensaient les partisans ou les journalistes. Il voulait démontrer à son entraîneur et à ses coéquipiers qu'il pouvait être l'une des meilleures recrues dans la meilleure ligue au monde. Il n'a pas raté son coup.

« Il est réellement talentueux, a dit son entraîneur Mike Babcock. Il est habile et joue avec acharnement, même lorsqu'il n'est pas en possession de la rondelle. C'est très important. »

Les Leafs ont fait de Mitch le quatrième choix au total du repêchage de 2015 en raison de ses qualités offensives. Il a compilé des statistiques impressionnantes chez les juniors : durant ses deux dernières saisons avec les Knights de London, il a amassé 242 points en 120 matchs – une moyenne de plus de deux points par match! Il a tout gagné : la Coupe Memorial, le joueur de l'année de la LCH et le joueur le plus utile à son équipe de la Coupe Memorial et de la Ligue de l'Ontario. Mais Mitch n'a pas misé uniquement sur ses talents offensifs à son arrivée dans la LNH. Il a travaillé aussi fort pour améliorer son jeu défensif que pour contribuer à l'attaque.

« Ce n'est pas seulement un joueur offensif, affirme son ami et coéquipier Zach Hyman. Regardez-le jouer. Il bloque des tirs, fonce dans le feu de l'action et se replie en défense. Les gens sont portés à sous-estimer cet aspect de son jeu. »

Brad est trop talentueux pour rester sous-estimé bien longtemps. C'est un joueur très doué qui va continuer de s'améliorer.

LE SAVAIS-TU?

Lors de sa deuxième saison dans la Ligue de l'Ontario, Mitch semblait avoir le titre de meilleur marqueur en poche... avant que Dylan Strome, futur joueur de la LNH, le devance de trois points en marquant six points lors du dernier match de la saison.

SOUVENIR

Plus jeune, Brad allait souvent voir jouer son frère aîné à Bowmanville, en Ontario. Quand le jeu devenait trop ennuyeux pour lui, il s'amusait à jouer au mini-hockey en prétendant être son idole, Sidney Crosby.

Statistiques 2016-2017

MJ	B	A	PTS
77	19	42	61

Premier choix des Maple Leafs de Toronto, 4e au total,
au repêchage d'entrée dans la LNH de 2015
Première équipe de la LNH et saison : Maple Leafs de Toronto, 2016-2017
Né le 5 mai 1997 à Markham (Ontario)
Position : centre
Tir : de la droite
Taille : 1,83 m
Poids : 77 kg

CONNOR McDAVID

Connor n'est peut-être pas encore le plus grand joueur de la LNH – c'est Sidney Crosby – mais même Wayne Gretzky affirmait lors des festivités du Match des étoiles de l'an dernier que « McDavid serait bientôt aux trousses de Crosby pour le titre du plus grand joueur de hockey ».

> « Il y a toujours une ou deux situations par match dans lesquelles tu ne peux rien contre sa rapidité. Il est incroyablement rapide et très habile en possession de la rondelle. Il patine la tête haute, et ses mains et ses pieds sont constamment en mouvement. »
> – Seth Jones, défenseur des Blue Jackets de Columbus

La saison dernière, Connor a remporté son premier titre de meilleur marqueur et s'est affirmé comme l'un des meilleurs fabricants de jeu. Il a totalisé 70 mentions d'aide (plus haut total de la saison dans la LNH) et a remporté le trophée Hart remis au joueur le plus utile à son équipe.

De toutes les formidables qualités de Connor, celle qui saute le plus aux yeux est sa rapidité exceptionnelle. Il passe de l'arrêt complet à la vitesse maximale plus vite que quiconque.

« Ses trois premières foulées sont incroyables, dit la supervedette des Stars de Dallas, Tyler Seguin. En trois coups de patin, il distance rapidement les autres. Parfois, il m'apparaît encore plus vif en possession de la rondelle. Ce gars-là est doué d'une vitesse inhabituelle. »

Tyler soulève un point intéressant. Intentionnellement ou pas, la plupart des joueurs ont un temps d'hésitation en s'emparant de la rondelle. Comme s'ils avaient besoin d'une fraction de seconde avant de décider du prochain geste à faire. Connor a développé cette habileté lorsque son père lui a enseigné les rudiments du hockey.

« Mon père m'a toujours appris à ne jamais ralentir en m'emparant de la rondelle. Ce n'est pas facile à faire, mais j'essaie toujours d'accélérer dans l'espoir de surprendre le défenseur dans une position vulnérable. »

En 2017, les Oilers se sont qualifiés pour les séries éliminatoires pour la première fois depuis 11 saisons. Ils ont atteint le deuxième tour avant d'être battus par les Ducks d'Anaheim. Connor et son équipe n'ont pas fini de progresser et les Oilers sont prêts à travailler fort pour remporter le trophée ultime.

LE SAVAIS-TU?

Connor est l'un des cinq seuls joueurs de l'histoire à avoir obtenu le statut de joueur exceptionnel par Hockey Canada. Cette distinction lui a permis d'être admissible au repêchage du hockey junior et de pouvoir entreprendre sa carrière junior une année plus tôt que l'âge permis.

SOUVENIR

Connor se souvient de la première fois que son père l'a emmené à un match de la LNH au Centre Air Canada, à Toronto. Les Maple Leafs, son équipe favorite quand il était petit, affrontaient les Rangers de New York. « J'étais tellement excité que je n'ai pas dormi la nuit précédente et pendant toute la journée, j'avais hâte de me rendre au match. »

MJ	B	A	PTS
82	30	70	100

Premier choix des Oilers d'Edmonton, 1er au total,
au repêchage d'entrée dans la LNH de 2015
Première équipe de la LNH et saison : Oilers d'Edmonton, 2015-2016
Né le 13 janvier 1997 à Richmond Hill (Ontario)
Position : centre
Tir : de la gauche
Taille : 1,85 m
Poids : 91 kg

MARK SCHEIFELE

Mark Scheifele a mis un certain temps à atteindre le statut de supervedette. Mark a été un choix de premier tour des Jets de Winnipeg, le septième au total, au repêchage de la LNH de 2011. Il n'est pas rare qu'un joueur doive retourner chez les juniors pour une saison supplémentaire après avoir été réclamé au repêchage. Toutefois, lorsqu'un joueur réclamé parmi les premiers est cédé à son équipe junior après son second camp d'entraînement comme ce fut le cas pour Mark, les observateurs se posent des questions. Les Jets ont-ils commis une erreur en jetant leur dévolu sur lui plutôt que de choisir un autre joueur?

**« Je me dis toujours : Sois heureux.
Tu pratiques un métier formidable.
Ne prends rien pour acquis. »**

« Je travaillais dans les médias à ce moment-là, raconte l'entraîneur chef des Jets, Paul Maurice. Lorsque Mark a été renvoyé chez les juniors une deuxième année de suite, la question que tout le monde se posait était : "Ce gars-là était-il un fiasco?" »

« Lorsque les gens doutent de vous, ça vous motive, affirme Mark. Au fond de vous-même, vous vous dites :

"Si c'est ce que vous pensez, je vais vous prouver le contraire." »

En 2013-2014, Mark a connu une saison de recrue respectable en se plaçant au dixième rang des marqueurs des recrues avec 34 points (13 buts et 21 mentions d'aide). Il a fait mieux pour sa deuxième saison (49 points), mais ce n'est qu'au cours des deux dernières saisons que Mark a atteint le statut de supervedette. Il vient de connaître sa meilleure saison avec une fiche de 32-50-82.

Selon son entraîneur, l'amélioration de Mark au cours des dernières saisons est avant tout attribuable à son engagement.

« Vous ne voyez pas souvent arriver de jeunes joueurs dans la LNH avec une telle attitude, fait remarquer Maurice. Il se donne à fond pour améliorer chaque facette de son jeu. Il ne laisse rien au hasard. C'est très particulier de le voir s'entraîner et se préparer pour les matchs. »

Si les débuts fracassants de la recrue Patrik Laine font beaucoup parler, il ne faudrait pas sous-estimer l'importance de Mark Scheifele dans les succès des Jets. Il s'améliore d'année en année.

LE SAVAIS-TU?

Les Jets ont surpris tout le monde en faisant de Mark le septième choix au total du repêchage de 2011. Personne ne s'y attendait. Les Jets n'avaient même pas de chandail à son nom! On lui a simplement présenté un chandail noir de la LNH.

SOUVENIR

Enfant, Mark ne ratait jamais les faits saillants des matchs de la veille présentés à la télévision. Son père se souvient que Mark se levait tôt et s'installait devant le téléviseur avec son bol de céréales en rêvant peut-être qu'il ferait l'objet un jour des faits saillants des matchs de la LNH.

Statistiques 2016-2017

MJ	B	A	PTS
79	32	50	82

Premier choix des Jets de Winnipeg, 7e au total,
au repêchage d'entrée dans la LNH de 2011
Première équipe de la LNH et saison : Jets de Winnipeg, 2013-2014
Né le 15 mars 1993 à Kitchener (Ontario)
Position : centre
Tir : de la droite
Taille : 1,90 m
Poids : 94 kg

SHEA WEBER

Shea Weber est surtout reconnu pour son foudroyant lancer frappé. Il est extrêmement puissant et file droit comme une flèche. Il a remporté la compétition du meilleur tir lors du week-end du Match des étoiles de l'an dernier avec un boulet à 165,4 km/h. Mais il n'y a pas que son tir qui fait de Weber l'un des meilleurs défenseurs au monde.

Les Canadiens de Montréal recherchaient beaucoup plus qu'un joueur au tir puissant lorsqu'ils ont obtenu Shea avant le début de la saison dernière. Ils ont aussi fait l'acquisition d'un joueur d'expérience qui peut jouer longtemps soir après soir, et qui offre le leadership d'un vétéran aguerri.

**« Que demander de plus? Sa réputation parle d'elle-même. De la classe sur toute la ligne. »
— Marc Bergevin, directeur général des Canadiens**

« Dès le premier jour, sa présence s'est faite sentir de plusieurs façons. Dans le vestiaire, sur la patinoire, en dehors de celle-ci, partout, a déclaré l'ailier droit des Canadiens, Brendan Gallagher. Il est tellement efficace à l'attaque comme en défense. Son contrôle du jeu est sans égal. »

Sans connaître sa meilleure saison, Shea a néanmoins dominé tous les défenseurs des Canadiens avec 42 points. Pour la quatrième saison de suite, et la neuvième fois de sa carrière, il a amassé au moins 40 points. Depuis 2006-2007, Duncan Keith et Brent Burns sont les seuls défenseurs à avoir récolté plus de points que Shea. Pour lui, ce n'était rien d'autre que la routine même si au début, c'était étrange de le voir dans le chandail bleu, blanc, rouge des Canadiens plutôt que dans le chandail bleu et doré des Predators de Nashville.

« C'était un peu bizarre au début, car avant d'être échangé, j'avais joué avec la même équipe pendant toute ma carrière et j'aimais bien la ville et les gens, se rappelle Shea. Mais ce sentiment s'est vite dissipé. Je suis ici pour rester, alors j'espère vraiment contribuer au succès de cette équipe.

Les partisans des Canadiens souhaitent exactement la même chose.

LE SAVAIS-TU?

Pendant les Jeux olympiques de Vancouver en 2010, Shea a décoché un tir si puissant que la rondelle est passée à travers le filet. Il savait qu'il avait déjoué le gardien de but allemand, mais il a fallu l'arbitrage vidéo pour confirmer son but.

SOUVENIR

« En route vers la maison après un match, mon père ne se gênait pas pour me rappeler mes erreurs, mais aux yeux de ma mère, je n'avais commis aucune bévue. »

Statistiques 2016-2017

MJ	B	A	PTS
78	17	25	42

Quatrième choix des Predators de Nashville, 49ᵉ au total,
au repêchage d'entrée dans la LNH de 2003
Première équipe de la LNH et saison : Predators de Nashville, 2005-2006
Né le 14 août 1985 à Sicamous (Colombie-Britannique)
Position : défenseur
Tir : de la droite
Taille : 1,93 m
Poids : 105,5 kg

SIGNAUX DE L'ARBITRE

Sais-tu ce qui se passe lorsque l'arbitre arrête le jeu ou annonce une punition? Si tu ne le sais pas, tu manques une partie importante du match.

L'arbitre peut infliger des punitions plus ou moins sévères. Un joueur peut, par exemple, écoper d'une pénalité de deux minutes, mettant ainsi son équipe en désavantage numérique. Il peut même être chassé du match.

Voici quelques-uns des signaux les plus utilisés par l'arbitre. Maintenant, tu sauras quelles sont les punitions infligées à ton équipe!

Charge contre la bande
Violente mise en échec d'un adversaire contre la bande.

Assaut
Violente mise en échec d'un adversaire en fonçant sur lui.

Double échec
Frapper un adversaire avec le bâton tenu des deux mains, les bras étendus.

Coup de coude
Charger un adversaire avec le coude.

Bâton élevé
Frapper un adversaire avec le bâton tenu au-dessus de l'épaule.

Retenue
Retenir un adversaire avec les mains ou les bras.

Accrochage
Utiliser la lame du bâton pour retenir un adversaire.

Dégagement refusé
Envoyer la rondelle de son propre territoire jusque derrière la ligne de but du territoire adverse. Ne s'applique que si un adversaire touche la rondelle le premier.

Obstruction
Retenir un adversaire qui n'est pas en possession de la rondelle.

Coup de genou
Se servir du genou pour retenir un adversaire.

Inconduite
Pénalité de 10 minutes (durée la plus longue). Habituellement en raison d'une conduite abusive envers un officiel.

Rudesse
Bousculer ou frapper un adversaire.

SIGNAUX DE L'ARBITRE

Cinglage
Se servir du bâton pour frapper un adversaire.

Dardage
Donner un coup à un adversaire avec la lame du bâton.

Arrêt de jeu retardé
L'officiel attend avant de donner un coup de sifflet en cas de hors-jeu ou de pénalité. Se produit lorsque l'équipe adverse est en possession de la rondelle.

Faire trébucher
Faire trébucher un adversaire avec le bâton, la main ou le pied.

Conduite antisportive
Agir de façon antisportive envers un adversaire (en le mordant ou en lui tirant les cheveux, par exemple).

But refusé
Le but qui vient d'être marqué est refusé.

CLASSEMENT FINAL 2016-2017

ASSOCIATION DE L'EST

Division Atlantique

Équipe	MJ	MG	MP	DP	PTS
MONTRÉAL	82	47	26	9	103
OTTAWA	82	44	28	10	98
BOSTON	82	44	31	7	95
TORONTO	82	40	27	15	95
TAMPA BAY	82	42	30	10	94
FLORIDE	82	35	36	11	81
DETROIT	82	33	36	13	79
BUFFALO	82	33	37	12	78

Division Métropolitaine

Équipe	MJ	MG	MP	DP	PTS
WASHINGTON	82	55	19	8	118
PITTSBURGH	82	50	21	11	111
COLUMBUS	82	50	24	8	108
NY RANGERS	82	48	28	6	102
NY ISLANDERS	82	41	29	12	94
PHILADELPHIE	82	39	33	10	88
CAROLINE	82	36	31	15	87
NEW JERSEY	82	28	40	14	70

ASSOCIATION DE L'OUEST

Division Pacifique

Équipe	MJ	MG	MP	DP	PTS
ANAHEIM	82	46	23	13	105
EDMONTON	82	47	26	9	103
SAN JOSE	82	46	29	7	99
CALGARY	82	45	33	4	94
LOS ANGELES	82	39	35	8	86
ARIZONA	82	30	42	10	70
VANCOUVER	82	30	43	9	69

Division Centrale

Équipe	MJ	MG	MP	DP	PTS
CHICAGO	82	50	23	9	109
MINNESOTA	82	49	25	8	106
ST. LOUIS	82	46	29	7	99
NASHVILLE	82	41	29	12	94
WINNIPEG	82	40	35	7	87
DALLAS	82	34	37	11	79
COLORADO	82	22	56	4	48

MJ = matchs joués; MG = matchs gagnés; MP = matchs perdus; DP = défaites en prolongation; PTS = points

Les 10 premiers, pour les points 2016-2017

	JOUEUR	ÉQUIPE	MJ	B	A	PTS	T	%
1	CONNOR McDAVID	EDMONTON	82	30	70	100	251	12,0
2	SIDNEY CROSBY	PITTSBURGH	75	44	45	89	255	17,3
3	PATRICK KANE	CHICAGO	82	34	55	89	292	11,6
4	NICKLAS BACKSTROM	WASHINGTON	82	23	63	86	162	14,2
5	NIKITA KUCHEROV	TAMPA BAY	74	40	45	85	246	16,3
6	BRAD MARCHAND	BOSTON	80	39	46	85	226	17,3
7	MARK SCHEIFELE	WINNIPEG	79	32	50	82	160	20,0
8	LEON DRAISAITL	EDMONTON	82	29	48	77	172	16,9
9	BRENT BURNS	SAN JOSE	82	29	47	76	320	9,1
10	VLADIMIR TARASENKO	ST LOUIS	82	39	36	75	286	13,6

MJ = matchs joués; B = buts; A = aides;
PTS = points; T = tirs; % = moyenne

Les 10 premiers gardiens de but 2016-2017

	JOUEUR	ÉQUIPE	MJ	MG	MP	DP	% A	BA	MBA
1	BRADEN HOLTBY	WASHINGTON	63	42	13	6	0,925	127	2,07
2	CAM TALBOT	EDMONTON	73	42	22	8	0,919	171	2,39
3	SERGEI BOBROVSKY	COLUMBUS	63	41	17	5	0,931	127	2,06
4	DEVAN DUBNYK	MINNESOTA	65	40	19	5	0,923	141	2,25
5	CAREY PRICE	MONTRÉAL	62	37	20	5	0,923	138	2,23
6	TUUKKA RASK	BOSTON	65	37	20	5	0,915	137	2,23
7	MARTIN JONES	SAN JOSE	65	35	23	6	0,912	152	2,40
8	JAKE ALLEN	ST LOUIS	61	33	20	5	0,915	138	2,42
9	FREDERIK ANDERSEN	TORONTO	66	33	16	14	0,918	169	2,67
10	MATT MURRAY	PITTSBURGH	49	32	10	4	0,923	111	2,41

MJ = matchs joués; MG = matchs gagnés; MP = matchs perdus;
DP = défaites en prolongation; % A = pourcentage d'arrêts;
BA = buts accordés; MBA = moyenne de buts accordés

STATISTIQUES À LA FIN DE LA SAISON

OBJECTIF : LA COUPE — 2017-2018

ASSOCIATION DE L'EST

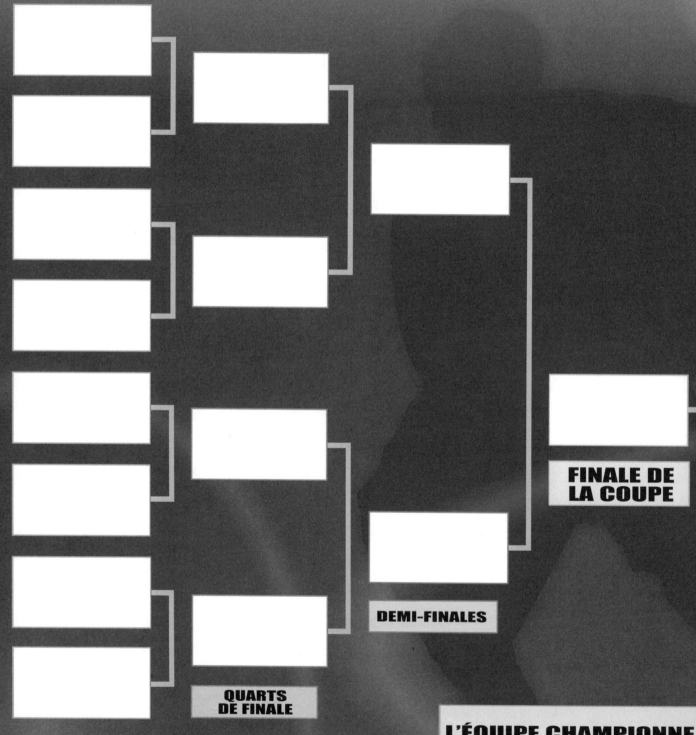

FINALE DE LA COUPE

DEMI-FINALES

QUARTS DE FINALE

PREMIER TOUR DES SÉRIES

L'ÉQUIPE CHAMPIONNE

ASSOCIATION DE L'OUEST

DEMI-FINALES

QUARTS DE FINALE

PREMIER TOUR DES SÉRIES

TROPHÉES DE LA LNH

Voici les prix les plus importants décernés aux joueurs de la LNH. Indique ton choix de joueur pour chaque trophée, puis le nom du gagnant.

TROPHÉE HART
Décerné par l'Association des chroniqueurs de hockey au joueur jugé le plus utile à son équipe.

Le gagnant 2017 : **Connor McDavid**

Ton choix 2018 : _____

Le gagnant : _____

TROPHÉE ART ROSS
Décerné au champion des marqueurs à la fin de la saison régulière.

Le gagnant 2017 : **Connor McDavid**

Ton choix 2018 : _____

Le gagnant : _____

TROPHÉE CALDER
Décerné par l'Association des chroniqueurs de hockey à la meilleure recrue de l'année.

Le gagnant 2017 : **Auston Matthews**

Ton choix 2018 : _____

Le gagnant : _____

TROPHÉE JAMES NORRIS
Décerné par l'Association des chroniqueurs de hockey au joueur de défense qui a démontré la plus grande efficacité durant la saison.

Le gagnant 2017 : **Brent Burns**

Ton choix 2018 : _____

Le gagnant : _____

TROPHÉE VÉZINA
Décerné au meilleur gardien de but par les directeurs généraux de la LNH.

Le gagnant 2017 : **Sergei Bobrovsky**

Ton choix 2018 : _____

Le gagnant : _____

TROPHÉE MAURICE RICHARD

Décerné au joueur qui a marqué le plus de buts en saison régulière.

Le gagnant 2017 : **Sidney Crosby**

Ton choix 2018 : _____

Le gagnant : _____

TROPHÉE WILLIAM M. JENNINGS

Décerné aux gardiens de but ayant participé à au moins 25 matchs durant la saison, au sein de l'équipe ayant la plus basse moyenne de buts accordés.

Le gagnant 2017 : **Braden Holtby**

Ton choix 2018 : _____

Le gagnant : _____

TROPHÉE LADY BYNG

Décerné par l'Association des chroniqueurs de hockey au joueur qui a démontré le meilleur esprit sportif ainsi qu'une grande habileté.

Le gagnant 2017 : **Johnny Gaudreau**

Ton choix 2018 : _____

Le gagnant : _____

TROPHÉE FRANK J. SELKE

Décerné par l'Association des chroniqueurs de hockey au joueur d'avant qui a démontré le plus haut degré d'excellence dans l'aspect défensif du jeu.

Le gagnant 2017 : **Patrice Bergeron**

Ton choix 2018 : _____

Le gagnant : _____

TROPHÉE CONN SMYTHE

Décerné par l'Association des chroniqueurs de hockey au joueur le plus utile à son club durant les éliminatoires de la Coupe Stanley.

Le gagnant 2017 : **Sidney Crosby**

Ton choix 2018 : _____

Le gagnant : _____

TROPHÉE BILL MASTERTON

Décerné par l'Association des chroniqueurs de hockey au joueur qui a démontré le plus de persévérance, d'esprit sportif et de dévouement pour le hockey.

Le gagnant 2017 : **Craig Anderson**

Ton choix 2017 : _____

Le gagnant : _____

DES FUTURES SUPERVEDETTES?

Le repêchage 2017 de la LNH n'a pas de joueurs de la même trempe qu'Auston Matthews ou Patrik Laine, qui eux ont été sélectionnés en 2016. Malgré tout, il y a de très bons joueurs sur qui il faut garder un œil. Voici quelques joueurs qui, selon nous, ont de bonnes chances de devenir des supervedettes :

Nico Hischier

NICO HISCHIER
Centre
1,85 m/81,5 kg
Né le 4 janvier 1999 à Naters (Suisse)
Premier choix des Devils du New Jersey, 1er au total
Équipe 2016–2017 : Mooseheads d'Halifax, LHJMQ

NOLAN PATRICK
Centre
1,88 m/90 kg
Né le 19 septembre 1998 à Winnipeg (Manitoba)
Premier choix des Flyers de Philadelphie, 2e au total
Équipe 2016–2017 : Wheat Kings de Brandon, LHW

MIRO HEISKANEN
Défenseur
1,85 m/78 kg
Né le 18 juillet 1999 à Espoo (Finlande)
Premier choix des Stars de Dallas, 3e au total
Équipe 2016–2017 : HIFK Helsinki, Ligue de Finlande

CALE MAKAR
Défenseur
1,80 m/85 kg
Né le 30 octobre 1998 à Calgary (Alberta)
Premier choix de l'Avalanche du Colorado, 4e au total
Équipe 2016–2017 : Bandits de Brooks, LHJA

ELIAS PETTERSSON
Centre/ailier gauche
1,88 m/75 kg
Né le 12 novembre 1998 à Sundsvall (Suède)
Premier choix des Canucks de Vancouver, 5e au total
Équipe 2016–2017 : Lakers de Växjö, Ligue de Suède

CODY GLASS
Centre
1,88 m/81,5 kg
Né le 1er avril 1999 à Winnipeg (Manitoba)
Premier choix des Golden Knights de Las Vegas, 6e au total
Équipe 2016–2017 : Winterhawks de Portland, LHW

Nolan Patrick